DIMAS NOVAIS

# O poder do
# Amor

EDITORA
SANTUÁRIO

DIRETOR EDITORIAL:
Marcelo C. Araújo

EDITORES:
Avelino Grassi
Márcio F. dos Anjos

COORDENAÇÃO EDITORIAL:
Ana Lúcia de Castro Leite

COPIDESQUE:
Bruna Marzullo

REVISÃO:
Lígia Maria Leite de Assis

DIAGRAMAÇÃO E CAPA:
Junior dos Santos

ISBN 978-85-369-0135-0

1ª impressão, 2008
4ª impressão

Todos os direitos reservados à **EDITORA SANTUÁRIO** — 2016

 Composição, CTcP, impressão e acabamento:
**EDITORA SANTUÁRIO** – Rua Padre Claro Monteiro, 342
12570-000 – Aparecida-SP – Fone: (12) 3104-2000

*Dedicação e Agradecimento*

Dedico esta obra a todas as pessoas que me ensinam o valor do amor presente nos gestos mais simples.

Agradeço profundamente a minha Editora, a todos os envolvidos no processo de criação desta obra. Sem a dedicação dessas pessoas este livro não existiria para os leitores.

Finalmente, ofereço todo este trabalho a minha família, em particular a minha esposa Arai e a meu filho Luigi. Somente por amor, vale a pena todas as coisas.

# APRESENTAÇÃO

Ainda que eu falasse as línguas dos homens e dos anjos, e não tivesse amor, seria como o metal que soa ou como o sino que tine (1Cor 13,1). Essa é a base da existência humana: o amor. Por meio dele, com ele e por ele construímos nossa trajetória, no grande caminho da história da humanidade. E este livro traz, em cada capítulo, em cada palavra, um momento que possibilitará a reflexão sobre o amor, conjugado no verbo amar e nas implicações desse ato.

Nesta obra, o autor vai construindo seus pensamentos, de maneira clara, nas considerações dispostas em capítulos curtos e objetivos, permitindo ao leitor não somente a leitura de um texto sobre o amor, mas, ao mesmo tempo, a reflexão de si mesmo diante desse sentimento, do relacionar-se no mundo, na vida familiar, social e profissional, deixando, na superfície do texto, a força desse sentimento para a sobrevivência de cada indivíduo e, nas entrelinhas, um fio condutor para a autoanálise.

Com uma temática que, mesmo trabalhada em muitos outros autores, não se esgota, é uma leitura que recomendo, não só pela praticidade e clareza dos textos curtos e diretos, mas pela sensibilidade de Dimas Novais ao falar sobre como nos assemelhamos a Deus, quando amamos, e sobre estarmos no mundo e nos relacionarmos, nesta bela e desafiante arte de amar e viver com amor.

*Boa leitura!*

*Cristina Nunes*

# INTRODUÇÃO

*"O amor é a vocação fundamental e inata de todo ser humano."*

(João Paulo II)

Nossa vida só tem sentido se for construída, dia após dia, na base forte e sustentável do amor. Quem não aprendeu a amar ainda não aprendeu a dar valor à própria vida. Escrever sobre o *Poder do Amor* faz-me sentir pequeno diante de tão imenso mistério. Sim! O amor é um mistério, pois como explicar um coração capaz de amar e odiar ao mesmo tempo? Esse é o coração humano.

Mas o amor é um dom maravilhoso que nos faz semelhantes ao nosso Criador. É verdade: se somos em algo imagem e semelhança de Deus só pode ser no *ato de amar*, pois Deus é todo amor. E esse amor divino tornou-se próximo de nós através da encarnação do Filho de Deus, Jesus Cristo.

Amar é nossa principal vocação, assim como viver valorizando cada instante em que estamos sob o olhar carinhoso do Pai. Apenas o amor nos faz diferentes daqueles que dizem não crer em Deus. E isso aumenta ainda mais nossa responsabilidade, pois o amor cristão é um amor responsável.

Espero que esta simples obra possa atingir muitos corações cheios ou vazios de amor. E que cada pessoa sinta-se amada por Deus. Acredito ainda que estas páginas poderão ajudá-los a refletir sobre a vida e o relacionamento humano. Num momento de retiro, solidão, meditação e contemplação, espero ser o companheiro que vai auxiliar os leitores a vivenciar a experiência do amor infinito, embora em coração tão frágil como o nosso. Permita que cada palavra atinja o profundo de sua alma e lhe traga paz. Boa leitura e meditação *em nome do Amor.*

*O autor*

## QUEM AMA, CONFIA

*É infeliz quem diz que ama sem conhecer o amor.*

A desconfiança é consequência da insegurança e da carência humanas. Somente o verdadeiro amor pode ultrapassar todas as barreiras e fazer de um coração inseguro um reino onde habita a confiança. Nenhum relacionamento pode sobreviver à falta de amor. É infeliz quem diz que ama não conhecendo o que realmente seja o amor. Amar não é ter posse de alguém ou até mesmo fazer de uma pessoa mero instrumento de prazer. Amar vai além do que os olhos e a carne podem sentir.

Quem ama, confia no amado, pois sabe que o amor supera divisões e é incapaz de iludir, destruir, machucar, magoar ou trair. É o amor o santo remédio que vem cicatrizar todas as feridas que o relacionamento humano provoca. Quem ama, confia. Quem não ama, não tem a capacidade de sair de seu egoísmo e se abrir totalmente ao outro. Infelizmente, vivemos uma crise de amor. O motivo é simples: o homem acostumou-se a viver sem a necessidade de amar. E isso só faz do coração humano um lugar frio, incapaz de dar e receber amor. Mas há um Farmacêutico que doa seu remédio e cura nosso coração! Não quer esse remédio?

## QUEM AMA, RESPEITA

*Nunca diga a uma pessoa que você a ama se não for capaz de respeitá-la.*

O amor nos ensina que cada ser humano é digno de valor e de respeito. Só respeita quem ama. A falta de amor faz com que pessoas sejam usadas como objetos descartáveis. Da mesma forma como sugamos todo o caldo da laranja e depois a jogamos fora, aquele que não ama usa as pessoas desrespeitosamente e, após se saciar, descarta-as como algo sem valor. O ser humano deve aprender que amar exige respeito. Nunca diga a uma pessoa que você a ama se não for capaz de respeitá-la em sua liberdade e em suas vontades. O respeito humano implica aceitar as deficiências do próximo, típicas da natureza humana. O amor exige respeito, assim como a vida. E quem respeita a vida, em todas as suas formas e idades, revela possuir um coração humilde e misericordioso: um coração que aprendeu a valorizar tudo o que o Criador fez em benefício da humanidade. Mil pontos negativos para quem não entende os deficientes; será que não se conscientizou de que todos temos deficiências?

## QUEM AMA, É FIEL

*A fidelidade é uma expressão concreta do amor.*

Ninguém machuca o outro por amor, nem mesmo tira-lhe a vida em nome do amor. Ninguém pode amar sem respeitar e ser fiel ao seu amado. A fidelidade está estritamente ligada ao verdadeiro amor. Infiel é aquele que não ama com todas as forças do seu coração e da sua alma. A fidelidade que o amor exige não é uma simples atitude de domínio ou conquista. Ela implica reconhecer que o outro tem o pleno direito de ser respeitado naquilo que lhe é mais precioso: a confiança. Até mesmo o Criador exige fidelidade ao seu projeto de amor. Quem não consegue ser fiel, ainda não encontrou o verdadeiro amor. Quem não é fiel, é traidor, mas o amor não trai. Quem ama é cúmplice do outro na alegria e na tristeza. É fiel porque a fidelidade é uma expressão concreta do seu amor. O amor é um compromisso. No amor estou totalmente comprometido com a pessoa que confiou ser amada por mim. E não tenho o direito de quebrar essa aliança de confiança. Você concorda que "comprometimento" é uma palavra mais forte que "compromisso"? Sabe diferenciar uma da outra? Se é fiel, saberá com certeza!

## QUEM AMA, DOA-SE

*Quem ama, doa-se mesmo que a dor se faça presente.*

Nenhuma pessoa é obrigada a se doar a uma causa ou a uma outra pessoa. Doar-se significa dar-se gratuita e incondicionalmente. E o amor espera isso somente de quem ama de verdade. Assim ocorre com a mãe que doa a vida em favor do filho; todo o seu corpo é entregue, gratuitamente, em benefício da vida nova que é gerada em seu ventre. E quantas mães não foram até o fim, sacrificando-se para que seus filhos tivessem a vida! Isso é verdadeiro amor! Na cruz, Jesus se doou totalmente por nós. Não cobrou nada, não exigiu nada, simplesmente se doou, completamente apaixonado. Quem ama, doa-se, assim, apaixonadamente. Mesmo que a dor se faça presente, doa-se. Muitas pessoas pensam que doar é igual a dar, mas não é. Quem dá, espera ser retribuído, recompensado. Doar é despojar-se, comprometendo-se com a felicidade do outro. Está na Bíblia: "Há mais prazer em dar do que receber". Imagine, então, doar, quanto prazer dará!

# QUEM AMA, ENTREGA-SE

*Este é o princípio do amor:
quem ama, entrega-se.*

Quem afirma que o amor é exigente, acertou, pois ele exige a entrega total. Nada pode deixar de ser irradiado pela força e pelo poder do amor. Quem ama não esconde nada para si, entrega-se totalmente. E quem não se entrega é porque não ama completamente. O egoísmo e o orgulho, muitas vezes, impedem que nos entreguemos, de corpo e alma, a quem amamos. Temos medo de perder, de não pertencer mais a nós mesmos. Mas é aí que está a mágica do amor: não pertencer mais a si mesmo. Assim fez Maria, a mãe de Jesus: entregou-se inteiramente à vontade do Criador. Não se importou com as consequências; simplesmente se entregou acreditando que Aquele que lhe confiava a missão estaria com ela até o fim. Entregar-se exige despojamento, morrer para si mesmo e viver no outro de tal forma que duas almas tornem-se uma só vida. Este é o princípio do amor: quem ama, entrega-se, ficando embriagado de amor. Os soldados não acharam que os discípulos de Jesus estavam todos embriagados?

## QUEM AMA, LIDERA

*Liderar é uma tarefa
pessoal que exige muito amor.*

A essência da liderança é o amor. Amar faz de qualquer líder uma pessoa de sucesso. Quem ama, lidera, e quem não ama, não sabe ser líder. O papel do líder é aprender, todo dia, a amar seus liderados. Hoje, as maiores dificuldades encontradas dentro de empresas são de relacionamento. Por isso, afirmo: liderar é uma tarefa pessoal que exige muito amor. A liderança está diretamente relacionada com a ética. E ser ético é ter atitudes que revelam o quanto amamos uma pessoa e confiamos nela. A liderança amorosa deve ter como princípio a verdade, a sinceridade e a honestidade. O líder, pela posição que ocupa e por suas responsabilidades, precisa contar com uma equipe que já fez a experiência motivadora do amor. Não existe nada pior que uma equipe que não confia em seu líder porque não o ama. Portanto, liderar exige amar profundamente. Quem ama, lidera; quem não ama, apenas chefia. Todos devem transmitir confiança, responsabilidade e amor. O bom líder é aquele que irradia amor. Aprenda: o amor é o ingrediente mais importante no relacionamento entre pessoas. Quando acaba o amor, termina o relacionamento.

## QUEM AMA, EDUCA

*Educar corações para amar sem medo, sem limites.*

Educar é uma ação consciente que provoca mudanças em quem ensina e em quem aprende. É um ato extremamente humano que necessita acontecer a partir do amor. Educar é criar possibilidades de ser feliz, de desenvolver atitudes responsáveis e amorosas em quem dá e em quem recebe educação. Todo educador deve ter clara a sua missão: educar corações para amar sem medo, sem limites. Quando educamos no amor, formamos gente, seres humanos capazes de superar obstáculos e romper as fronteiras do conhecimento. Quem não ama, não deve ser educador. O imenso valor que possui o homem só pode ser comparado ao amor. É verdade: o homem não tem preço; tem valor e, por isso, necessita ser amado profundamente. Quando dizemos que quem ama educa, queremos diminuir espaços existentes entre quem oferece e quem recebe a educação. Para quem ama, não há espaços, não há distância, somente cumplicidade, afeto e dedicação. Assim, toda educação deve acontecer como um gesto sublime de amor. E Jesus é o verdadeiro modelo de educador, não é mesmo?

# QUEM AMA, ABANDONA-SE

*Quando a pessoa ama, abandona-se às asas do amor.*

Abandonar-se significa jogar-se, confiantemente, nos braços de quem se ama. Quando o pai diz ao filho: "pula", e ele pula, sem medo, é porque sabe que o papai irá segurá-lo. Abandonar-se é isto: é saltar com a certeza de ser amparado e protegido. Quando a pessoa ama, abandona-se às asas do amor e deixa que o vento do carinho a conduza aos braços da felicidade. Abandonar-se é despojar-se, é tornar-se um só corpo e uma só alma com quem é escolhido para partilhar o amor. Muitas pessoas sentem dificuldades de amar, justamente porque são incapazes de se abandonar. E não se abandonam porque não confiam. E você já aprendeu: quem não confia, não ama de verdade. Como seria bom se todas as pessoas que dizem "te amo" fossem capazes de abandonar-se! Assim fez Jesus na cruz: abandonou-se totalmente, por amor. Quando nos abandonamos, pensamos somente no enorme bem que vamos fazer ao nosso próximo. Concorda?

## QUEM AMA, PERDOA

*Perdoamos porque queremos amar de novo.*

Se você ainda não fez a experiência do perdão é porque ainda não fez a experiência do amor. Quem ama, perdoa sempre. Não tem desculpas, não tem porquês, não tem talvez. Se alguém ama totalmente, perdoa totalmente. Mas perdoar não é esquecer, pois não é somente um ato isolado do coração, e sim um ato da vontade, da inteligência. Por isso, muitas pessoas sentem dificuldades em perdoar. Querem perdoar para nunca mais se lembrar. E perdoar não é isso. Assim como o amor, o perdão também é um ato da vontade humana. Perdoamos porque queremos amar de novo. Mesmo sabendo de tudo o que nos causou dor, às vezes, mesmo tendo razão, perdoamos para vivenciar o amor dentro de nós. Perdoar não é um ato de fraqueza. Muito pelo contrário: os fracos de vontade não conseguem perdoar. Perdoar é um ato de coragem que exige superação do orgulho e fé na crença de que o amor é capaz de transformar qualquer coisa, inclusive quem nos ofendeu. Portanto, se você diz que ama, deve estar preparado, todos os dias, para fazer a experiência do perdão. Lembre-se do exemplo de Jesus, na cruz, perdoando os seus algozes.

## QUEM AMA, RENUNCIA

*Renunciar é ter a coragem
de abrir mão de si mesmo.*

Quando as pessoas entenderem, de fato, o que é o amor, entenderão também o que significa renunciar por amor. Renunciar não é fugir, covardemente, de uma situação. Não. Vai muito além disso. Renunciar é ter a coragem de abrir mão de si mesmo, de suas vontades e convicções em favor de quem se ama. Portanto, tem uma característica sólida: renuncio, porque amo. Sim, o amor exige renúncia. Amar sem renunciar é querer usar o outro para depois descartá-lo. Deve ser por isso que vivemos na era dos descartáveis: usamos e jogamos fora. Até mesmo o relacionamento humano tornou-se descartável! Ninguém mais quer saber de compromissos. Querem apenas usar, o tempo necessário, e depois descartar, jogar fora. Quem ama de verdade, não age assim, mas renuncia, entrega-se, deixa-se invadir pelo amor. Numa época em que todos querem levar vantagens, parece um pouco ultrapassado falar de renúncias. Mas não é possível amar sendo egocêntrico, orgulhoso ou avarento. Pelo menos, não um amor verdadeiro, gratuito e generoso.

## QUEM AMA, AGRADECE

*Tudo na vida é motivo de agradecimento.*

O amor nos leva a um gesto permanente de agradecimento. Agradecemos a vida e tudo que nela se encerra. Momentos bons e ruins, agradáveis e desagradáveis. Tudo na vida, para quem ama, é motivo de agradecimento. O agradecer nos faz fortes, pois, a cada instante, temos a possibilidade de recomeçar. Quem vive se lamentando ainda não percebeu que todas as coisas concorrem para o nosso bem, para o bem daqueles que amam e deixam-se amar. O amor é belo, principalmente para quem sabe o valor do agradecimento. Portanto, em vez de reclamar, agradeça; em vez de lamentar, simplesmente diga: "muito obrigado". Quem ama agradece, quem não ama se aborrece. É verdade: se todos os dias levantarmos as mãos e, em nome do amor, agradecermos, vamos nos tornar cada vez mais semelhantes ao Criador que, após criar todas as coisas, viu que tudo era bom e alegrou-se. O amor irradia alegria e felicidade para quem aprendeu a agradecer. E você, não me diga que não tem nada para agradecer.

## QUEM AMA, RECONHECE

*Reconhecer significa entender que tudo o que nos acontece não é por acaso.*

Reconhecer o valor das pessoas e de tudo o que o Criador fez para o nosso bem é um gesto de puro e gratuito amor. Reconhecer significa entender que tudo que nos acontece não é por acaso, mas tem um propósito maior. A vida é, ao mesmo, tempo frágil e bela. O sentido de gratidão e de louvor toma conta do coração daquele que vive o amor e reconhece a mão de Deus agindo em todos os momentos e em todos os lugares. Reconhecer é conhecer o profundo de cada situação, é viver ao extremo a possibilidade de amar de forma total e incondicional. Ingratidão é o que existe na alma de quem não aprendeu a reconhecer que em tudo há um projeto de amor. Se algumas pessoas sofrem mais que outras, não importa. Se tudo na vida parece injusto e desleal, também não tem importância, pois cada um sofre e recebe a recompensa à medida que consegue amar e reconhecer em tudo a infinita bondade de Deus. Quem ama reconhece. Foi assim com Maria Madalena, que soube reconhecer em Jesus o sentido novo para sua vida. E tudo se tornou amor.

## QUEM AMA, ABRAÇA

*Um simples gesto de abraçar alguém pode revelar o fervor do amor.*

H á tantos pais e filhos que não se abraçam mais! E não se abraçam porque não se amam. E não se amam porque não se respeitam. Um simples gesto de abraçar alguém pode revelar o fervor do amor ou a barreira imposta pela mágoa. Atualmente, as pessoas vivem afastadas umas das outras, com medo e desconfiadas. Conseguimos fazer do nosso próximo a pessoa mais distante de nós. Há filhos abandonados dentro de casa, com pai e mãe que não sabem o valor de um abraço. Como diz a canção: "Quantos filhos que bem mais do que um palácio gostariam do carinho e do abraço de seus pais!". Mas pensamos que bens materiais podem substituir um gesto tão afetuoso como o abraço. Quem ama, abraça: fortemente, calorosamente, apaixonadamente. Ei, você já abraçou quem você ama, hoje? Já abraçou seu filho, sua esposa, seus pais, seu marido, seu amigo, seu companheiro mais fiel? Se ainda não o fez, faça. Abra os braços e corra ao encontro de quem merece um abraço cheio de amor.

## QUEM AMA, BEIJA

*Quem beija, compromete-se com o amor.*

Devemos resgatar no ser humano toda manifestação do amor puro e verdadeiro. Um abraço, um beijo, um toque de mão, um olhar. Sabia que o beijo é uma atitude inocente de quem ama? Quando carregado de malícia, revela apenas luxúria. Mesmo que na história bíblica Jesus tenha sido traído por um beijo, o beijo ainda continua sendo símbolo do amor e da paz. O beijo esconde intimidade com o amado, cumplicidade, comprometimento. Como é bom beijar quem amamos! Melhor ainda é dar um beijo de perdão e reconciliação, selando a paz! Quem beija, dá e recebe amor, ao mesmo tempo. Por isso, fica proibido beijar sem amor. Os jovens sem Deus gostam de curtir a balada e beijar a noite toda. Beijam um aqui, outro ali, mais um aqui. E assim vai, toda noite. Beijos frios, sem amor, sem compromisso, ou melhor, sem comprometimento. Esse beijo é traiçoeiro, perigoso, pois nos faz descartáveis, acende o fogo da carne e mata a inocência do espírito. Quem ama, beija; e quem beija, compromete-se com o amor.

# QUEM AMA, DECLARA-SE

*Quem ama e declara o seu amor
está dando o melhor de si.*

Não tem coisa melhor que amar e sentir-se amado. Ouvir ou dizer para alguém: "Te amo". Se você ama e ainda não se declarou, não tenha medo: declare-se. Não há bem maior que se possa fazer que amar e deixar o outro saber que é amado. O amor é bálsamo para a alma, remédio que cura toda dor e alívio de toda angústia. Declarar-se para alguém faz com que sua vida seja partilhada da maneira mais profunda possível. Quem ama e declara o seu amor, está dando o melhor de si para o outro. Não há nada mais valoroso que o amor, não há nada mais precioso para dar ao outro senão o nosso amor. Na cruz, Jesus se declarou: "Eu te amo". E por amor se entregou. A declaração de Jesus se fez, de modo todo particular, na cruz. Essa foi a declaração por excelência. Ele quis dizer: "Com a minha morte na cruz, quero declarar que ninguém te ama mais do que eu". Quantas pessoas amam e sentem vergonha de dizer isso! Mas quando odeiam não têm o pudor de ofender o próximo. Vamos lá: declare-se a quem você ama. Simplesmente diga: "Eu te amo".

## QUEM AMA, OBEDECE

*Quando vivemos no amor, sabemos ser obedientes.*

A obediência nos faz humildes e santos. Quem ama, obedece, não por comodismo, nem por medo, mas por respeito. Obedecer por amor não significa obedecer cegamente ou irresponsavelmente. Não. Quem obedece sabe que o faz porque pode tirar um bem maior. Ser obediente, por amor, é um voto e um caminho que conduzem à santidade. A desobediência e a rebeldia, por falta de amor, também fazem suas vítimas. Um anjo de luz perdeu o paraíso justamente por não querer ser obediente. Mas quem não quer obedecer, não quer amar. Quem é orgulhoso, arrogante e vaidoso não consegue ser obediente. Por isso, a obediência é um ato de amor, pois vai moldando-nos à imagem e semelhança de Jesus, que foi obediente até a morte (e morte de cruz). Quando vivemos no amor, sabemos ser obedientes. Quando vivemos segundo as vontades da carne, temos a tendência de não possuirmos amor verdadeiro e tampouco obediência. Então, obediente é quem faz do amor sua meta.

# QUEM AMA, CAMINHA

*O amor nos faz viver o presente e projetar o futuro, tendo como escola o passado.*

Parece estranha essa afirmação, não é? Quem ama, caminha. O que isso significa? Simples: que o amor nos faz seres entusiasmados, com ideal de vida, com vontade de fazer mais pelo bem do mundo e caminhar no amor. Quantas pessoas sentem-se presas ao passado ou ao futuro e se esquecem de viver maravilhosamente o seu presente! O amor é assim: nos faz viver o presente e projetar o futuro, tendo como escola o passado. O amor não nos deixa parados, mas nos faz caminhar, ora rapidamente, ora devagar, mas nos faz sempre caminheiros. Em busca do que caminhamos, tendo o amor por companhia? Não caminhamos em busca, mas sim para um lugar. Se todos os que amam possuem um lugar especial para viver, eternamente, esse lugar só pode ser o céu. Ah, o céu, lindo céu, onde só quem ama pode entrar! Portanto, o amor nos faz caminhar para o céu, juntinhos de Deus; afinal, quem ama, quer permanecer junto, para sempre.

## QUEM AMA, CHORA

*Lágrimas de amor lavam a alma e aquecem o coração.*

Há várias formas de manifestar o amor. Há quem abrace, quem beije, quem dê um presente, e há os que choram. Lágrimas de amor lavam a alma e aquecem o coração. A mãe chora, por amor, ao dar à luz ao seu filho. E o filho também chora, choro de amor, ao pedir a bênção aos seus pais. Quantas pessoas no mundo choram! Talvez nem todas as lágrimas sejam de amor; algumas, eu sei, são de dor, mas quem disse que o amor é ausente de dor? Não tenha vergonha de chorar. Chorar é inato ao ser humano, até porque é a primeira manifestação de vida: o bebê chora ao nascer. O pai chora ao entregar a filha ao seu futuro esposo. A mãe chora ao ouvir pela primeira vez a palavra "mamãe". Até Jesus chorou, por amor. E Maria? Também chorou, e seu choro atingiu profundamente sua alma. Mais do que lágrimas de dor, foram lágrimas de esperança que caíram de seus olhos. Chore, chore sem medo nem vergonha; chore por amor! Se não temos vergonha de rir, cantar, correr, pular, por que teríamos vergonha de chorar?

## QUEM AMA, SOFRE

*Mais importante que o sofrimento
é a lição que tiramos dele.*

Meu Deus, como sofre quem ama! Mas não é qualquer sofrimento. É um sofrimento que faz nascer bons frutos. Há quem diga que o sofrimento não faz parte do amor. Que tolice! O sinal mais evidente de que estamos vivos são os problemas que temos para resolver. O sofrimento revela isso: somos humanos, capazes de amar e de sentir a dor desse amor. Por isso, sofre a mãe que vê seu filho pegar a bolsa e ir embora. Sofre o pai que ouve o filho chamá-lo de careta. Sofre a alma que não recebe as gotas do amor divino pelo fato de o homem afastar-se de Deus. Todos sofrem, alguns por amor e outros por desamor. Mas todos têm a possibilidade de fazer do sofrimento uma grande escola. É isso mesmo: mais importante que o sofrimento é a lição que tiramos dele. E se for lição de amor, melhor ainda. Todo sofrimento tem seu fim no amor. Pense bem: não vale a pena sofrer, senão por amor.

## QUEM AMA, ESPERA

*Enquanto houver amor, haverá esperança.*

O amor está intimamente ligado com a esperança. Por isso, quem ama, espera. O que seria da nossa vida sem esperança? Mas não qualquer esperança, e sim a que nasce do amor. Foi assim que o pai esperou o filho pródigo. E o filho voltou para casa, quando o pai fez uma grande festa, pois fora encontrado aquele que estava perdido. E tudo se encerrou num abraço de amor. Quem ama, espera. Não de braços cruzados, mas ativamente. É uma esperança que faz a gente acordar todos os dias e acreditar: hoje será melhor que ontem. Meu Deus, como as pessoas perderam as esperanças de um mundo melhor! Perderam o sentido da vida, a motivação, o entusiasmo, a alegria e, principalmente, o amor. Enquanto houver amor, haverá esperança. E enquanto a esperança for viva, vivo será o amor no coração dos homens. Tudo vale a pena se há esperança e amor: eis o grande segredo revelado.

## QUEM AMA, REZA

*A oração feita com amor chega diretamente ao coração de Deus.*

Aoração é o mais belo gesto de amor. Só quem ama pode juntar as mãos, dobrar os joelhos e dizer: "Pai nosso". Sem amor, não devemos nos dirigir a Deus. Seria hipocrisia pensar que Deus ouve a oração feita sem amor. Ele mesmo nos ensinou que o maior mandamento é o amor e que nada devemos fazer sem amor. Quem ama, reza, pede, implora, louva, suplica, adora. Tudo por amor. A oração feita com amor chega diretamente ao coração de Deus, e Ele fica impossibilitado de dizer não à alma que clamou. Sim, Deus tem uma só fraqueza: o amor. Ele pode tudo, menos deixar de nos amar e de nos atender quando nos dirigimos a Ele por meio do amor. Deus é amor. Rezar não é um ato solitário. Quando rezamos, estamos falando com uma pessoa viva que, depois de nos ouvir, nos responde. E sua resposta é em forma de amor, pois o sentimos em nosso coração. Essa é a resposta de Deus: seu amor derramado em nosso coração, que deve transbordar!

# QUEM AMA, É HUMILDE

*O amor exige um terreno simples e humilde para crescer e frutificar.*

Um coração orgulhoso não é capaz de amar profundamente. O orgulho é uma capa plástica que cobre o coração e o impede de sentir a força do amor. Mas ser humilde não é ser conivente com coisas erradas. Não. É não permitir que o orgulho afogue o amor e a graça de Deus em nossa alma. O orgulhoso é incapaz de reconhecer a Deus, de pedir perdão, de oferecer amor gratuito e incondicional. Por isso, quem ama é humilde, porque o amor exige um terreno simples e humilde para crescer e frutificar. Não pode o amor prosperar em meio às pragas e ervas daninhas do orgulho. Se amar exige entrega, obediência, doação, reconhecimento, então somente um coração simples poderá fazer a experiência do amor. A humildade nos faz chegar próximos do céu, pois nos faz amar ao semelhante generosamente. Só quem ama com amor divino, é humilde. O amor divino é aquele que transcende cor, raça, credo, classe, status social e acúmulo de bens. Se você ama, tenha certeza: a humildade procurou lugar e o encontrou no seu coração. Veja bem: ser conivente não é conveniente!

# QUEM AMA, TRABALHA

*Ninguém deve exercer qualquer profissão que seja sem amor.*

O trabalho dignifica o ser humano. Seu objetivo é possibilitar ao homem a sua plena realização. Mas o trabalho feito com amor possui o maior de todos os valores. Ninguém deve exercer qualquer profissão sem amor. O médico, o dentista, o advogado, o policial, o professor, enfim, todos os profissionais têm a missão de realizar suas atividades por amor e com amor. Muitos, infelizmente, colocam o dinheiro e o status à frente do amor. E se perdem. Ninguém tem o direito de banir o amor de suas atividades profissionais. Do mais simples operário ao mais ilustre trabalhador, se não houver amor, suas atividades de nada valem. É claro que o sustento de cada um deve ser fruto de seu trabalho; afinal, o trabalhador é digno do seu salário; contudo, assumir uma profissão sem amor é como caminhar de olhos vendados diante de um abismo. Se fazemos tudo por amor, então sabemos a importância que têm nossos talentos e aptidões. É o amor que nos impulsiona a fazer coisas úteis ao próximo. Apenas o amor que vem de Deus; e Deus é amor!

## QUEM AMA, CULTIVA O AMOR

*O amor verdadeiro tudo suporta, em tudo crê, tudo desculpa, tudo espera.*

O amor nasce, cresce e permanece. Ou pode simplesmente nascer e não crescer ou, após crescer, morrer. Assim como uma planta, o amor necessita ser cultivado, cuidado, alimentado, compreendido. Ilude-se quem pensa que o mais difícil é fazer o amor nascer. Não é! O mais difícil é fazer o amor permanecer, vivo e alegre. Por isso, quem ama, cultiva. Cultivar o amor é a missão de todos nós que procuramos nortear nossas ações por meio dos santos ensinamentos. Cuidar para que o ódio não entre e nem se instale em nosso coração, precaver-se da ira e da vingança, proteger-se da mágoa e do rancor. Esse é um trabalho árduo. Cultivar o amor implica zelar para que o coração esteja sempre disposto a amar e, amando, perdoar, aceitar, entender, dar uma segunda, terceira, quarta... chance. Quantas pessoas passaram rapidinho do amor ao ódio, da alegria ao rancor, da paz ao tormento! Simplesmente porque não foram capazes de cultivar o amor e cuidar do coração. Sendo assim, uma só coisa é necessária: cultivar o amor verdadeiro, que tudo suporta, em tudo crê, tudo desculpa, tudo espera. O coração é um jardim que precisa de um jardineiro: o seu próprio dono!

## QUEM AMA, TEM CORAGEM

*Tudo que fizer, faça com amor e será vitorioso.*

O medo não faz parte do amor. O amor é corajoso, valente, eficaz, audacioso. Quem ama, tem coragem para vencer as difíceis batalhas que a vida lhe impõe dia após dia. Não pode ser triste nem amedrontado um coração cheio de amor. O que faz tantos bombeiros entrarem no meio do fogo para salvarem vidas, na maioria das vezes desconhecidas? O amor à vida. É o amor que os enche de coragem. Que belo trabalho realizam em prol da vida! O que faz um mártir entregar-se em nome de sua fé? O amor. O amor transforma homens simples e frágeis em pessoas de uma coragem incalculável! Tudo o que fizer, faça com amor e será vitorioso. A força não está nas mãos nem tampouco nos braços. A força está na capacidade de amar corajosamente. Aquele que ama luta, acredita que pode vencer, não desanima, enfrenta, cai e levanta, busca uma melhor saída. Ah, como o amor é capaz de transformar as pessoas em grandes santos e heróis! E só o amor tem essa força.

# QUEM AMA, É FORTE

*O amor vem como uma brisa mansa, tira todo o medo e nos faz fortes.*

O amor nos faz fortes. Sim, nunca somos tão fortes como quando amando. Dizem que o amor desestrutura a pessoa. Não. A paixão, sim, faz isso, mas o amor não. E existe uma grande diferença e uma grande distância entre o amor verdadeiro e a paixão. A paixão vem como um vento forte em dia de tempestade. Vem, faz um enorme barulho e vai embora. Deixa muitos estragos e nada construído. Já o amor é sólido como a rocha. Não destrói nem desmancha coisa alguma.

Devagar vai sendo construído, oferecendo alicerce para a família e a sociedade. O amor não vem como um furacão, nem vai embora como um relâmpago. Não. O amor vem como uma brisa mansa, um vento suave que toca nosso rosto, tira todo o medo e nos faz fortes. Somos capazes de grandes feitos quando tomados pelo verdadeiro amor. Foi assim com os santos, com os mártires, com aqueles que tudo deixaram para viver intimamente a vida com Deus. Quem ama é forte. Quem não ama, pensa que é forte, mas é fraco, como uma mansão construída sobre a areia. Não é agradável a sensação da brisa?

# QUEM AMA, DESEJA

*Quem ama tem desejos nobres em seu coração.*

Quem ama possui muitos desejos para o seu amado. A primeira coisa que lhe vem ao coração é a felicidade do outro. É isso mesmo: quem ama, deseja tudo de bom para seu próximo: alegra-se com a alegria, entristece-se com a tristeza. Faz de tudo para todos, a fim de que a felicidade seja completa. Quem ama, tem desejos nobres em seu coração. Não é ciumento, avarento, invejoso ou cobiçador. Nenhum desses sentimentos pode conviver com um coração que ama. Nem a vida nem a morte podem compactuar com tamanha mesquinhez humana. Mas o amor nos leva a tomar atitudes extremas de bondade e misericórdia. E quem vai entender isso? Somente quem ama. Como compreender o perdão dado a um criminoso, assim como fez João Paulo II por aquele que atentou contra sua vida? Somente um coração que ama é capaz de tamanho feito. Os desejos de uma alma fiel e embriagada de amor são que todos encontrem paz e possam gozar das bem-aventuranças eternas. Como diz o ditado popular: "A Deus peço saúde e paz; do resto eu corro atrás".

## QUEM AMA, É PACIENTE

*Uma alma que ama sabe esperar pelas demoras de Deus.*

A paciência tudo alcança quando o amor é seu companheiro. Vivemos tempos difíceis em que as pessoas encontram-se armadas e revoltadas. Umas atiram contra outras e fazem-se inimigas ferozes. A ansiedade, a ira, a vingança e a violência parecem superar a força transformadora do amor. Mas uma alma que ama sabe que esperar, pacientemente, pelas demoras de Deus ainda é a melhor solução. É Ele que tem nossas vidas em suas mãos. É Ele que sabe o que é melhor para cada um.

Por isso, quem ama, é paciente e bom. Só o amor nos faz assim. Quantas vezes temos a chance de responder com violência a uma provocação e nos calamos e, pacientemente, esperamos que Deus nos dê a melhor resposta. E, assim, sofremos as demoras de Deus, mas com o coração em paz. E como é bom deitar-se e levantar com o coração cheio de paz. Andar pelas ruas e pelos campos certos de que nossa consciência aponta para uma felicidade eterna. É, os planos de Deus são bem diferentes dos nossos, e sua vontade está bem acima das nossas. E não se esqueça: a contagem humana do tempo é bem diferente da contagem divina!

# QUEM AMA, DÁ VALOR

*Quem ama muito, muito se valoriza.*

O que tem valor para você? Qual o valor do homem, da natureza, da vida? Qual o valor do amor, do perdão, da misericórdia e da justiça? Somente quem ama, incondicionalmente, sabe o valor de todas essas coisas. Ah, como Francisco de Assis soube valorizar cada ser que trazia o germe da vida. Para ele, todas as coisas eram irmãos ou irmãs. Até mesmo a morte ele teve a coragem de chamar de irmã. Francisco era todo amor, porque tinha encontrado o verdadeiro sentido de sua vida: Jesus. Vivia correndo pelos campos a gritar que o amor não era amado como deveria ser. Ele sentia-se no dever de amar a Deus e as criaturas, em nome de todas as pessoas que não sabiam dar valor a tamanho mistério. Francisco e Clara: amor de reparação. Como esquecer uma das mais belas páginas do cristianismo? O tamanho do valor que atribuímos às coisas é do tamanho do amor que sentimos por elas. Quem ama muito, muito se valoriza; quem ama pouco, perde a noção de valor. Que valor você está dando à sua vida?

# QUEM AMA, É JUSTO

*Quem compreenderá o que é a justiça
senão quem precisou dela?*

A justiça é irmã da misericórdia, e ambas são frutos do amor. Como pode uma pessoa que se diz cheia de amor usar de injustiça para com seu semelhante? Todo ato de injustiça clama a justiça de Deus, e toda manifestação de amor e arrependimento impele Deus a usar de misericórdia. Foi assim em Nínive com o profeta Jonas. O amor divino se manifesta em sua justiça para aqueles que sabem usar de justiça. Quem ama, é justo e sabe que suas atitudes devem representar o que há de mais puro em seu coração. Ser justo é ser fiel, é cumprir o que se prometeu, é oferecer a possibilidade da redenção àquele que errou, é usar de compaixão. Quem compreenderá o que é a justiça senão quem precisou dela? Quem saberá ser justo senão aquele que sofreu com a injustiça? A maior lição que o amor nos ensina é a liberdade que cada um tem de tomar suas próprias decisões e de ser responsável por elas. Portanto, aquele que ama que pratique a justiça; e quem é injusto, não se atreva a dizer que o amor mora dentro de si: não é incoerência?

# QUEM AMA, É BONDOSO

*Quem ama, assemelha-se a Deus,
porque Deus é bom.*

O amor é bondoso. Sofre com os que sofrem, alegra-se com os que se alegram. Usa de misericórdia com os mais fracos e de justiça com os poderosos. Quem ama, assemelha-se a Deus, porque Deus é bom. Um coração que ama é incapaz de praticar atos maldosos contra quem quer que seja. Mas quem não conhece o amor pode enganar-se em seus sentimentos e tornar-se mau. Ser bondoso implica ser generoso. Bom é a aquele que possibilita ao outro a oportunidade de se corrigir de seus erros, favorecendo a conversão do coração. Bons são todos os que promovem a paz e buscam em Deus vivenciar as bem-aventuranças. Quem ama é bondoso. E não tem como ser diferente. Hoje, o mundo necessita tanto de pessoas como Madre Teresa de Calcutá, que, pela sua bondade e por seu amor, superou crenças e culturas e fez de cada ser humano um filho legítimo de Deus. Lembro: a bondade e o amor são eternos!

## QUEM AMA, É AFÁVEL

*Somente o amor é capaz de abrandar
o nosso coração e fazê-lo afável.*

"Meu Deus, dai-me um coração afável que sinta as necessidades do próximo e seja capaz de superar o egoísmo." Assim poderia ser nossa oração em cada amanhecer. O amor, e somente o amor, é capaz de abrandar o nosso coração, fazê-lo manso e humilde, cortês, delicado, sensível. Sim, quem ama é sensível à necessidade do amado. Um coração embriagado pelo amor possui a potencialidade de repartir, de partilhar, de entregar-se todo em benefício do seu amado. Oh, como devemos clamar ao Senhor que nos favoreça com um coração afável! Quão duro e insensível tornou-se o coração do homem. Filósofos proclamaram a morte de Deus e a religião como desnecessárias. O homem então começou a adorar a si mesmo. Aos poucos, foi esvaziando-se de sua sensibilidade e, completamente racional, perdeu a referência da santidade: a afabilidade. Senhor, fazei com que todos tenham uma nova chance de abrir-se à sua ação e possuir no peito um coração afável, livre de toda violência. Deus é inefável! O ser humano tem de ser afável!

# QUEM AMA, É VERDADEIRO

*A verdade presente no coração de quem ama faz dele um ser livre.*

As fraquezas humanas fazem do homem um ser vulnerável. Até mesmo o amor encontra dificuldades em habitar no coração humano. Isso também acontece com a verdade. Somos levados, todos os dias, à mentira, à corrupção e às injustiças. Procuramos estabelecer vínculos afetivos, contudo, nossos relacionamentos se desmoronam, pois muitos deles são baseados na falsidade e não no amor verdadeiro. Mas há uma possibilidade de vencermos tamanha fraqueza e, ao menos, chegarmos mais perto da verdade que liberta. Quando o homem se abrir ao poder do amor e confiar que pode ser melhor, a cada dia, então dará um passo para completar na carne o que se começou no espírito: a santificação. Quem ama é verdadeiro: consigo mesmo, com o próximo e com Deus. Aceita suas limitações, não se esconde de suas fragilidades, estende as mãos e reconhece: "Salva-me, Senhor". A verdade, presente no coração de quem ama, faz dele um ser livre e capaz de apresentar-se diante de Deus como é: um ser em permanente conversão. O homem é chamado a ser santo! Verdade? Sim!

## QUEM AMA, É ALEGRE

*A alegria faz renascer todas as coisas.*

A alegria é a marca principal de um coração amoroso. Como pode alguém ser triste com um coração repleto de amor? A tristeza pode até desejar tomar o coração humano, mas, assim como o sol dissipa as trevas noturnas, a alegria faz renascer todas as coisas. Meu Deus, que tamanho mistério este, o do amor. Quem já sentiu a verdadeira alegria que nasce do amor, sabe que todas as coisas tornam-se insignificantes diante de tamanha graça. Não há como comparar a alegria oferecida pelo amor e as ilusões apresentadas pelo dinheiro, pelo poder e pela fama. Ser feliz é isso: é deixar o coração vivenciar a alegria de ser amado. Ouça os pássaros soltos na natureza: cantam, voam e enfeitam o pôr-do-sol. São felizes sem nada possuir. Mas a liberdade da imensidão do céu os enche de alegria. Por que o homem precisa acumular bens para ter a falsa idéia de felicidade? Somente um coração amoroso e livre consegue atingir, verdadeiramente, a alegria. Que tal um sorriso, agora?

## QUEM AMA, É FELIZ

*O sentido da vida é ser feliz plenamente no amor.*

Você é feliz? Se você ama, então pode responder que sim. A felicidade que cada um busca só pode ser encontrada no amor. Não há outro lugar onde ela resida. Impossível ser feliz sem amar. Quem acredita que pode ser feliz no ódio, na ira, no rancor, engana-se e destrói-se um pouquinho a cada nascer do sol. O sentido da vida é ser feliz plenamente no amor. O amor dá um sentido novo à vida de qualquer pessoa, faz novas todas as coisas. Nada é antigo ou ultrapassado para o amor. A felicidade é sempre nova e se renova a cada manhã em que somos capazes de agradecer. Quem afirma não conhecer o que seja felicidade não conhece o que é o amor. Quem será capaz de implantar no coração do homem tamanha felicidade? Somente o amor. O amor gratuito, incondicional, verdadeiro; amor oblação. O fim último do homem é a felicidade com Deus. Mas essa felicidade já pode ser vivida aqui se o amor estiver presente em todas as suas atitudes.

## QUEM AMA, ENRIQUECE

*Rico é aquele que fez do amor seu maior tesouro.*

A riqueza que o amor oferece não é de bens materiais, mas sim de princípios e valores. Quem ama abastece o seu interior com bons propósitos e procura dar o melhor de si para o amado. Quem não ama, é pobre: pobre de espírito, de visão, de propósitos. Enriquecer-se amando significa ter a coragem de partilhar a vida, os projetos, os sonhos, os desafios. O amor é enriquecedor porque não permite à avareza instalar-se no coração. Avarento é todo homem que pensa somente em si, esquecendo ou usando o outro para atingir seus objetivos. Nunca está satisfeito com o que tem e deseja sempre mais. O avarento é invejoso e tem uma enorme carência de amor. É frio, individualista, calculista. Pensa que está sempre ganhando, contudo, perde constantemente porque não consegue amar gratuitamente. Portanto, rico é aquele que fez do amor seu maior tesouro. Você ainda não percebeu que é rico?

## QUEM AMA, CANTA

*Ama e faz tudo o que deseja,
pois o seu cantar é livre.*

Diz a letra da canção: "Viver e não ter a vergonha de ser feliz. Cantar e cantar e cantar a beleza de ser um eterno aprendiz". O amor nos faz cantar a mais bela canção: a liberdade. Quem ama, canta, porque é livre, assim com os pássaros que voam nos céus. Ama e faz tudo que deseja, pois seu cantar é livre e sua vida uma dádiva de Deus. O amor tem sido motivo para quase todas as canções. Mas nem sempre os compositores conseguem atingir o amor verdadeiro.

O amor verdadeiro que não julga, que não trai, que não cobra, que não é complacente com a injustiça, o amor verdadeiro, que muitos salmistas e santos atingiram numa grande intimidade com Deus, não é fácil. Assim, "cantar e cantar e cantar" a beleza da vida é possível, desde que o verdadeiro amor seja a fonte inesgotável dessa canção. Quem ama, canta, encanta, dança, alegra--se. O amor não faz mal, não é arrogante, nem tampouco traiçoeiro. Quem nunca cantou motivado por um coração completamente apaixonado? Eu li: "Quem canta reza duas vezes e quem canta afinado reza três vezes". Você concorda?

# QUEM AMA, FAZ POEMAS

*O poema que nasce do amor faz o homem aproximar-se de seu Criador.*

Ah, os poetas! Quase sempre escrevendo sobre um amor que machucou ou deixou cicatrizes na alma. Mas o poeta do amor é aquele que mostra o sentido desigual de um amor que constrói e refaz todas as coisas. Muitos escrevem sobre o amor à luz da lua, pois ela parece ouvir os gemidos do coração apaixonado. Mas não é tão fácil expressar toda a riqueza contida neste tesouro que ousamos denominar "amor". Quem pensa possuir facilidade para falar sobre tal sentimento se engana.

Não é para mim, e nem mesmo para quem é ousado o bastante, acreditar que já teve todas as mulheres do mundo! Como os poetas que declamam sobre o amor precisam aprender a desvendar os mistérios desse nobre sentimento! Mas é real: quem ama, faz poemas, abrindo seu coração e deixando que todos bebam dessa fonte inesgotável de vida. Quantos poemas de amor estão contidos na Bíblia ou nas biografias dos santos! "Ah, tarde demais te amei, beleza tão antiga e tão nova", grita Agostinho. O poema que nasce do amor é o mesmo que faz o homem se aproximar do seu Criador. Deve ser a mais perfeita oração. Você não concorda? Poema = Oração!

# QUEM AMA, SACRIFICA-SE

*O amor gratuito tem um alto preço.*

Quem nunca fez um sacrifício de amor, talvez nunca tenha amado de verdade. Amar exige sacrifício, porque requer renúncia. Quem não está disposto a sacrificar-se, a renunciar-se, a esvaziar-se de si em favor do seu amado, ainda não compreendeu que o amor gratuito tem um alto preço. Se olharmos para a cruz, vamos ver a mais profunda expressão de amor manifestada no sacrifício do Cristo. Parece loucura para o mundo, mas, para quem ama, é sinal de vitória. Por quê?

Por que tem que ser assim? Não sei. Poderia não ser. Mas é. Não entendemos o porquê de o amor exigir sacrifício, mas em toda a história da humanidade sempre foi assim. Lembra-se de Abraão e Isaac? Ah, como doeu para Abraão; mas, no fim, venceu o amor; sim, somente o amor foi o grande beneficiado com a atitude desprendida do profeta e patriarca. O amor foi provado e prevaleceu. Quem ama, sacrifica-se por amor. Não há um outro objetivo. Não há motivos para fugir da cruz quando o amor pede: se ama, vá até o fim. Não aconteceu isso com Pedro? E será que Deus não espera um sacrifício seu? Pense bem!

# QUEM AMA, SERVE

*Servir ao próximo é um ato de caridade.*

O Mestre do Amor deu o grande exemplo: não vim para ser servido, mas sim para servir, e quem desejar ser meu discípulo, deve agir da mesma forma. Quem ama, serve na alegria, coloca-se a serviço. Grandes reis da terra foram servidos e se afogaram em seus orgulhos, porque não amavam, usavam das pessoas para realizar suas fantasias mais sórdidas. Alguns reis gostavam tanto de ser servidos que, quando mortos, eram enterrados com seus servos, acreditando necessitar deles quando voltassem à vida. Somente quem ama de verdade serve de verdade. Servir o próximo é um ato de caridade, de humildade, de abnegação. Parece que o mundo atual não tolera muito essas características, uma vez que ensina as pessoas a "levar vantagem em tudo". Mas quem é de Deus, quem fez a experiência do amor, não procura seu próprio bem, mas sim o bem partilhado com seu amado. Ninguém pode ser feliz sozinho. Sempre precisaremos do outro para que nossa alegria seja completa. Lembre-se: quem não vive para servir não serve para viver!

# QUEM AMA, CUIDA

*Deus jamais se esquecerá de nós.*

Quando a gente ama, é claro que a gente cuida. Assim diz a canção. E não pode ser diferente. Quem ama, deseja estar ao lado do amado, cuidando, amparando, protegendo. É verdade: amar exige disponibilidade para cuidar. Desta forma, o professor cuida do aluno, o pai do filho, a esposa de sua casa, Deus de todas as suas criaturas. Seria ingenuidade imaginar que o amor se basta a si mesmo. Não. Ele é, por natureza, protetor. Vejam como os animais se protegem mesmo sem possuir consciência do que seja o amor. Puro instinto! Nós, seres humanos, que sabemos muito bem o que é o amor, temos o dever de estar ali, ao lado, cuidando de quem amamos. O amor não pode desprezar ninguém. Como entender um filho que se esquece de seu pai, ou uma mãe que abandona seus filhos? Mas a Bíblia diz: ainda que isso aconteça, Deus jamais se esquecerá de nós. Quando a gente ama, a gente cuida. Quem cuida dos passarinhos, também cuidará de nós. Vamos aprender bem a lição?

# QUEM AMA, TEM SEGURANÇA

*O amor nos faz seguros porque nos faz fortes.*

O que todos os seres humanos desejam, além de cuidado, é segurança. É uma necessidade humana: sentir-se seguro. E quem ama tem a capacidade de dar segurança, pois sai de si e pensa na felicidade do outro. É capaz de entregar tudo, inclusive a própria vida, para ver seu amado completamente seguro. Como esquecer a mãe que viu o filhinho ser entregue ao rei Salomão e, por amor, preferiu ficar sem o filho, para que a vida dele fosse poupada? Contudo, Salomão, com sua sabedoria, devolveu-lhe a criança. Mas observe: a verdadeira mãe, que amava seu filhinho, preocupou-se com a segurança dele. É isso mesmo: quem ama, tem e dá segurança. O amor nos faz seguros, porque nos faz fortes, corajosos, entusiastas. Quem é inseguro e vive ofertando insegurança não sabe distinguir entre amor e posse. Tem medo de perder; mas ninguém perde ninguém, justamente porque ninguém é dono de ninguém. Quem ama, precisa entender isto: o amor nos faz mais seguros quando confiamos em quem amamos. Portanto, "segura na mão de Deus e vai!".

## QUEM AMA, PROTEGE

*O amor nos ensina a valorizar ao outro,
nunca a menosprezá-lo.*

Assim como cuida e oferece segurança, o amor também protege. Ah, como é bela a visão de uma criança dormindo nos braços da mãe! Sente-se segura e protegida. O calor da mãe a protege, o amor da mãe a faz dormir em paz. Como abandonar quem amamos? Ou como não valorizar aquele que, por amor, coloca sua vida em risco para proteger a quem ama? Atualmente, as pessoas não entendem essa dimensão do amor. Pensam que fazer amor é tão simples quanto fazer a guerra. Mas o ser humano não faz amor, ele o vivencia, ao extremo, quando se entrega ao outro. O prazer pelo prazer não se preocupa com a proteção do próximo. Quem ama, em primeiro lugar, pensa no bem-estar físico e mental do outro, não quer fazer mal, não quer destruir sonhos, não quer brincar com sentimentos. Meu Deus, como precisamos compreender que o amor nos ensina a valorizar o outro, nunca a menosprezá-lo! A que compararemos o amor? A uma cerca elétrica? Pense bem!

## QUEM AMA, CONTEMPLA

*Contemplação é deixar sua alma imersa na imensidão do amor.*

À tardinha, contemplar o pôr do sol, sentir a brisa tocar o rosto, ouvir o cantar dos pássaros e meditar na infinita bondade do Criador! Quem ama busca refúgio e solidão para contemplar a majestosa obra da criação divina. Fica em silêncio e deixa o coração falar. Contemplação é isto: é deixar sua alma imersa na imensidão do amor. Só quem ama de verdade pode encontrar no silêncio da contemplação a revelação dos mistérios divinos. E a maior revelação é esta: Deus está dentro de nós, vivendo em nós, amando em nós, contemplando em nós. Não somos deuses, mas quando amamos, estamos em comunhão com todo o universo e com aquele que o criou. Na correria do dia a dia, o homem não encontra tempo para a contemplação e, se não contempla, não encontra respostas para as dúvidas do coração. Será que não está na hora de "silenciar" seu coração?

## QUEM AMA, TEM FÉ

*Como amar o homem sem
crer naquele que o criou?*

A fé nos faz perseverantes no amor. Qual o valor da fé sem obras, sem amor? É o amor que nos impele àquele que nos criou e tudo fez por amor a nós. Na contemplação, faz-se o exercício de aproximação do Criador através de suas criaturas. São Francisco entendeu muito bem isso. Amava tanto que dizia que seu coração não iria suportar tamanho sentimento. E, porque amava, possuía uma fé inabalável. Irmão Francisco, ensina-nos a viver cheios de amor e de fé. Quem afirma viver sem fé, cético, descrente, não pode dizer que tem um coração cheio de amor. Como amar sem crer? E como amar e crer no homem sem amar e crer naquele que o criou? Ainda que tudo acabasse com a morte, o amor e a fé jamais acabariam. Ainda que Deus não existisse, como afirmam os ateus, jamais o homem poderia perder a capacidade de amar e de ser amado, de crer e esperar que sua fé lhe desse respostas. Mas Deus existe, e a vida se prolonga após a morte. Razões a mais para podermos afirmar: o amor nos leva à fé, e a fé nos conduz à morada celestial. Mas, caro leitor, como anda a sua fé?

## QUEM AMA, SURPREENDE

*Ah, o amor é mágico;
numa palavra, surpreendente.*

Surpresa: eu te amo! Assim, sem nenhum motivo, sem nenhuma data ou ocasião especial. Simplesmente dizer "eu te amo". Como isso marca um relacionamento. E o relacionamento humano é alimentado por essas pequenas surpresas. Quem ama surpreende com um botão de rosas, um toque carinhoso, um bilhete, uma palavra. A vida nos reserva tantas surpresas. Ela é tão frágil, tão rápida, tão especial. E tudo fica ainda mais bonito, quando somos surpreendidos por quem amamos. É isso que faz o pai quando chega com um sorriso nos lábios, abre seus braços e chama o filho para junto de si. E, naquele abraço gostoso, descansa todas as suas preocupações. Quantas pessoas deveriam fazer isso: chegar e surpreender com um toque mágico! Ah, o amor é mágico; numa palavra, surpreendente. Por que os homens não entendem que o amor não necessita de muita coisa para viver, aliás quase nada, só precisa mesmo de momentos maravilhosos e surpreendentes?

# QUEM AMA, DÁ PRESENTES

*Oferecer um presente é sinal de dedicação.*

O maior de todos os presentes, fruto do amor, é a cumplicidade. Não entendo o amor de outra forma. Mas quem ama, presenteia. Não que o bem material seja tão importante quanto uma palavra carinhosa, não é isso. Afinal, o amor é simples. Mas oferecer um presente é sinal de dedicação. Quantas pessoas não fazem isso todos os dias? Ah, quando o marido chega a sua casa e descobre que a esposa fez aquele almoço gostoso, simples, mas cheio de amor, que belo presente!

E a retribuição se faz necessária. Basta dizer: "Que almoço delicioso você preparou!" Pronto. Ambos se deram presentes que motivaram o amor. Não importa se eram pedras preciosas ou um simples almoço. O importante é vir carregado de amor, de cumplicidade, de carinho. Quem ama, só quer ver o outro feliz, mais nada. E é tão fácil fazer o outro feliz! Ah, se todos aprendessem essa lição! Alguém já disse que o Menino Jesus, quando nasceu, recebeu presentes dos reis magos, gostou e está, até hoje, esperando o seu! Não precisa ser ouro, incenso ou mirra! Mas dê-lhe um presente!

## QUEM AMA, TEM PAZ

*Mas quem ama, tem paz.*
*Isso é certo: uma paz inquieta.*

A paz, sonhada por todos, jamais acontecerá se não brotar do amor. Não serão decretos nem diplomacias. Somente o amor poderá trazer a verdadeira paz. Jesus disse: "Eu sou a paz, eu dou a paz". Ele, só Ele pode afirmar isso, pois é todo amor. Mas podemos aprender a amar e a fazer de cada momento um momento de paz. Como é bom deitar, depois de um dia cansativo de trabalho, e dormir em paz. Como é maravilhoso acordar em paz, viver em paz. Meu Deus, quanto custa tudo isso?

Tudo está tão perto, tão acessível. Então por que o homem vive lamentando-se e fazendo guerra, armando-se, motivando conflitos, fazendo do seu irmão o seu inimigo? Teria tudo começado com Caim e Abel? Não. O homem sempre desejou a paz, mas infelizmente sempre desejou também ser melhor e maior que seu próximo. Não há paz que resista à soberba. Mas quem ama tem paz. Isso é certo. É uma paz inquieta, cheia de alegria e gratidão. Assim é a paz que nasce do amor. Que essa paz esteja contigo, agora e para sempre!

## QUEM AMA, SILENCIA

*Quem ama busca o silêncio para se encontrar*
*e se entregar todo ao amor.*

O silêncio, para quem não ama, é ensurdecedor. Mas para uma alma amorosa, o silêncio é fundamental para que o amor possa crescer e se fortalecer. O silêncio nos leva à contemplação, à admiração, ao belo. O barulho do dia a dia não nos permite encontrar com nós mesmos. É barulho dentro e fora do nosso coração. Quem pode conviver com o amor desse jeito? Ah, se nossos jovens entendessem o valor do silêncio para se encontrar com Deus e com o amor! Ah, se nossos jovens parassem, meia hora por dia apenas, e no silêncio do seu coração fizessem uma revisão de vida e cultivassem bons propósitos. Quem entenderia tamanho progresso espiritual? Quem ama, busca o silêncio, não para fugir ou se esconder, ao contrário, para se encontrar e depois se entregar todo ao amor. Imerso no silêncio, encontra-se o que há de mais nobre no homem: o valor do próprio homem. E você pensa que é fácil silenciar o coração?

# QUEM AMA, CONQUISTA

*A conquista de um coração
que ama faz o outro livre.*

Conquistar a si mesmo é fazer a maior de todas as conquistas. Conquiste pelo amor e jamais será escravo de ninguém. Quem ama, conquista, não pela força, nem pelo poder, nem pela violência. Quem ama, conquista pela obediência e pela humildade. É um grande contraste em relação aos poderosos do mundo. Mas assim é o caminho do amor, o caminho da simplicidade. Quem nunca conquistou com amor, também nunca atingiu de fato o coração de uma pessoa. Pode a riqueza invadir um lar pela porta da frente, mas o amor logo sairá pela porta dos fundos, porque a conquista pelo poder não tem valor. É efêmera, é passageira, é fútil. A conquista de um coração que ama faz o outro livre. Alimenta a fé e a esperança. Oh, quando a humanidade vai aprender que somos todos irmãos e filhos de Deus: brancos, negros, amarelos e vermelhos? Quando se confirmará que o poder é traiçoeiro e que a conquista pela força e pela arma fere o homem naquilo que lhe é mais sagrado: a liberdade e a vida?

# QUEM AMA, É PURO

*A pureza de alma faz com que sintamos a presença de Deus.*

Foi Jesus quem ensinou que para entrar em seu Reino é preciso ser puro como as crianças. Quem ama, é puro, pois no amor não há maldade. Se tivesse que pedir alguma coisa a Deus, como uma graça toda especial, pediria: "Senhor, dai-me um puro coração". Eu sei: os puros verão a Deus. E a pureza de alma faz com que sintamos a presença de Deus dentro de nós. Oh, quão maravilhoso é o sacramento da reconciliação! Nele temos o perdão de nossos pecados e a possibilidade de vivenciar a pureza. Somos lavados pela misericórdia de Deus e estimulados a buscar a santidade. Um coração puro, foi isso que o rei Davi pediu, arrependido, em oração. Que do céu venha o fogo santo, queimando toda a impureza do nosso interior, e que o amor de Deus, que faz novas todas as coisas, possa dar-nos a graça de viver um amor puro. E que sejam bem-aventurados todos os que buscam a pureza do corpo e da alma, contrariando toda a lógica do mundo!

# QUEM AMA, TEM ATITUDE

*Mais do que palavras, amor é atitude.*

Quem tem atitude, tem personalidade. Mas a atitude que o amor provoca no coração tem nome: compaixão. Quem ama, tem atitude de quem ama. Ponto. Não dá para ser diferente. E a compaixão é a mais forte expressão desse amor: sofrer com o outro, sentir os mesmos sentimentos, estender as mãos e oferecer amor. É essa a atitude de quem ama. Mais do que palavras, amor é atitude. Guarde bem essa lição: amor é atitude. Jesus não disse: "Vocês têm que dar a vida". Não.

Ele afirmou: "Eu darei a minha vida por vocês, porque eu os amo". E se entregou. E todos entenderam o recado. E fizeram o mesmo. Nenhum discípulo poderia ficar insensível à atitude do mestre. Assim também aconteceu com a mãe que recebeu do médico a notícia: "Ou salvaremos você ou a criança; escolha". E a mãe escolheu: "Salvem meu filho". E a misericórdia de Deus salvou a ambos. Isso é amor. Como entendê-lo de forma diferente? Repito: quem ama, tem atitude de quem ama. Seja coerente; mostre atos de amor! Do que adiantaria dizer "te amo" se minhas atitudes provam o contrário?

# QUEM AMA, É MOTIVADO

*A linguagem do amor continua sendo loucura para o mundo.*

A motivação implica ter motivos para realizar uma ação, motivos fortes, convincentes. Se alguém me pedir para pular de paraquedas, a primeira coisa que perguntarei será: por quê? Me dê bons motivos para fazer isso! Mas quando somos tomados pelo amor, já temos um motivo mais do que suficiente para praticarmos qualquer ação. A jovem menina que deixou a riqueza e um futuro promissor na casa dos pais para ajudar os mais necessitados na África fez isso por amor. Seu motivo não foi dinheiro, fama, poder. Quando um repórter perguntou a ela o motivo de tal decisão, ela foi firme: "Fiz tudo isso motivada pelo amor a cada um deles em particular". Quem explica isso? Quem ama é motivado a fazer obras de amor. Não foi isso que aconteceu com Clara de Assis? Imaginem a alegria e o amor contagiando todos os jovens de Assis! Imaginem! Tocados pelo exemplo de Francisco, foram motivados a deixar tudo e abraçar a irmã pobreza. Meu Deus, a linguagem do amor continua sendo loucura para o mundo e libertação para os que amam!

# QUEM AMA, CRÊ

*É impossível não crer em Deus
se no coração habitar o amor.*

Como já disse anteriormente, quem ama, confia; quem ama, tem fé. E como é bom acreditar numa força que supera todas as forças, numa mão forte que está pronta a nos ajudar e a nos proteger! A fonte da fé, da crença e da confiança é o amor. Ninguém deve crer por medo ou por comodismo. Não. Se creio por causa do amor, entendo que a fé supera todas as bases da razão e atinge diretamente a alma. A falta de fé de muitos é sinal claro de falta de amor. É impossível não crer em Deus se no coração habitar o amor e a esperança. Eu creio, creio porque amo, creio porque sei em quem pus toda a minha confiança. Não creio em uma ideia, creio em uma pessoa una e trina. E sei que meu Criador também espera muito de mim; afinal, fez-me semelhante a Ele, principalmente na capacidade de amar. Creio, Senhor, mas aumentai minha fé!

# QUEM AMA, TEM DEUS

*Estamos falando do amor que converte
o coração em altar santo.*

Deus é amor. Não há nenhuma outra definição mais correta do que essa. Deus é essencialmente amor. Se Deus é amor, quando amo, estou adorando a Deus em minha vida e em minhas ações. Mas não é de qualquer amor que estamos falando. Não. Nem imagine um amor pagão, baseado unicamente nos prazeres da carne. Não é isso. Estamos falando do amor que converte o coração em altar santo e morada do Espírito de Deus. Por isso, Jesus disse que quem demonstra muito amor tem perdoados os seus pecados, mas ao que pouco se perdoa é porque pouco ama. Como ser indiferente a Deus se o que Ele tem a nos oferecer é sumamente bom? Quem ama tem Deus, tem o perdão, tem a nova vida. Quem não ama, não pode dizer que conhece a Deus e muito menos que possui dentro de si a compaixão. O apóstolo João nos alerta: "Aquele que diz que conhece a Deus, mas não ama o irmão, é mentiroso".

## QUEM AMA, OUVE

*Senhor, ensina-nos a ouvir sua voz.*

"Ouve, ó Israel, o Senhor é o teu único Deus." Ouvir é um ato de amor. E como precisamos aprender a ouvir o outro! Ainda não sabemos ouvir, porque queremos que nossa idéia prevaleça, queremos sempre estar certos. O orgulho não nos permite calar e ouvir. Mas quem ama, ouve. É um exercício que vamos aprendendo aos poucos. Ouvir o outro em suas necessidades é uma obra de misericórdia. Ouvir atento, com amor, e dar uma resposta possível, ajudando-o a resolver seus problemas. Não é assim que fazem os sacerdotes na administração do sacramento da confissão? Quantas vezes nos perdemos na vida, justamente pela falta de ter alguém para nos ouvir, nos aconselhar, nos orientar. Ah, se os pais ouvissem mais seus filhos! Eles não se perderiam nas drogas ou nos jogos fáceis da vida. Mas como os pais não ouvem, os estranhos fazem isso; porém, não fazem por amor, mas por interesse em recrutar mais um jovem para seus projetos de morte. Senhor, ensina-nos a ouvir sua voz e a voz daqueles que querem abrir o coração. Temos apenas uma boca e dois ouvidos, justamente para falar menos e ouvir mais. Ensina-nos, Senhor!

# QUEM AMA, DIALOGA

*Dialogar é ter uma conversa franca,
sem magoar ou ofender o outro.*

Se quem ama, ouve, é natural que quem ama dialogue. E, assim como ouvir, dialogar é um exercício que exige humildade e atenção. Nós ainda não sabemos dialogar como convém. E pode ser que a causa de tudo isso seja nossa má educação. Na verdade, os seres humanos são vítimas da falta de amor em sua educação. Quando falta o diálogo, surge a violência. E quantos de nós não sofremos com isso. Acarretamos traumas e medos e hoje temos a tendência de transferir para o outro a lição tão mal aprendida. Mas o amor quer ensinar-nos que tudo pode ser resolvido por meio do diálogo. Mas o que é dialogar? É ter uma conversa franca, sem magoar ou ofender o outro. Não é "jogar tudo na cara da pessoa". Não, não é isso. Dialogar é ouvir pacientemente e responder afetuosamente às propostas e considerações do outro. Mas nem sempre é o que acontece. Muitos usam o momento do diálogo para atacar um ao outro, e ambos saem machucados na relação. Por isso, quem ama, dialoga com base no amor que é compreensão, compaixão, enfim, atitude carinhosa. E quem pergunta quer uma resposta! Não está na hora de você parar e ouvir o que o outro tem a lhe perguntar?

# QUEM AMA, SONHA

*Parágrafo único: fica proibido sonhar sozinho.*

Como viver sem sonhos? Sem projetos? Sem objetivos definidos? Se não sabemos aonde queremos ir, como podemos escolher o caminho e os meios de locomoção? Sonhar faz parte da história de cada pessoa que ama e deseja construir uma vida alicerçada na esperança. Sonhar é isso: possuir dentro de si uma fonte inesgotável de esperança. Quem ama, sonha, em primeiro lugar, com a real possibilidade de felicidade. Mas sabemos que ninguém é feliz sozinho. Portanto, um sonho que se sonha em comunidade torna-se realidade, transformação, conquista. Quem sonha sozinho e exclui o outro de seus projetos, vive em uma utopia constante, em uma alienação permanente. O primeiro artigo dos Direitos do Homem deveria ser: todo homem tem o direito de sonhar. Com destaque para o parágrafo único: "Fica proibido sonhar sozinho, mas não deixe de sonhar!". Que maravilha! Quando o amor é nosso ideal, buscamos sonhos que possibilitem a realização não só do nosso sucesso, mas de todos os que nos cercam, até mesmo daqueles que nos ignoram. Você sabia que todo ser humano sonha todos os dias? E que lembrar o sonho ajuda a ter boa memória e a curar o coração?

## QUEM AMA, "MUDA"

*A conversão só tem razão
de ser se acontecer no amor.*

O amor é capaz de transformar todas as coisas. Todos os que se amam estão aptos a renovar suas vidas e fazer da alegria sua motivação diária. A cada dia, a cada nascer do sol, somos convidados pelo Criador a ser santos, a amar profundamente os seres vivos que enfeitam este universo. Aquele que diz que não muda, que seus defeitos o acompanharão até a morte, assim procede porque não encontrou verdadeiramente o amor. A conversão só tem razão de ser se acontecer no amor. Ninguém muda pela força, pelo ferro e pelo fogo. A transformação pela qual o ser humano passa deve ser moldada no amor. Tola é a pessoa que obriga o outro a mudar em virtude de suas vontades. Isso não é amor, é posse. O amor nos faz livres, responsáveis, tolerantes, compreensivos, bondosos, desejosos de ser melhores a cada dia. Não por egoísmo, mas para fazer mais feliz quem está do nosso lado. Eis uma verdade plena: só muda de vida, para melhor, quem procura como fonte o amor que tudo pode. Você concorda comigo que nunca é tarde para mudar?

## QUEM AMA, DIZ "SIM"

*Só quem ama sem medo tem a coragem de olhar nos olhos e dizer: "sim".*

N o altar, o padre fez a pergunta. E a resposta foi: "Sim, eu aceito". Uma simples palavra que modifica toda a nossa existência. É um "sim" carregado de amor e de responsabilidades. Sim para a vida, na alegria e na dor, na saúde e na doença, na riqueza e na miséria. Sim para o amor que exige fidelidade, cumplicidade, compromisso, companheirismo. Quem ama, não tem medo de dizer sim à pessoa amada. E quando as tribulações vierem, saberá que o "sim" que foi dito é mais forte que tudo.

Esse "sim" deve ser renovado todos os dias, com atitudes de amor. Talvez, em algum momento, e por razão definida, o "não" também seja um sinal de amor. Contudo, só quem ama sem medo tem a coragem de olhar nos olhos e dizer: "sim". Apesar de suas fraquezas, de suas limitações, de seus medos, eu digo sim. Por quê? Porque sei que também possuo essas características e que juntos poderemos vencê-las e ser felizes. Sim, eu aceito amar você e permito que me ame. Quem ama, sempre diz "sim" ao amor. Lembra-se de Maria? A salvação da humanidade começou com o seu "sim"!

# EU QUERO AMAR!

*Amando, serei aquilo que Deus quer que eu seja: todo amor!*

Eu quero amar, ao menos aprender a amar. Amar, porque quem ama sai na frente, toma a iniciativa, não espera recompensa. Quem ama cede, aceita, participa, não se omite, não se acomoda, é leve e livre. Ah, eu quero amar, pois só quem ama sente-se preenchido, tem seus erros compreendidos e compreende os mais fracos, não entra em depressão nem reclama. Ah, mas como eu quero amar, meu Deus! Aprender a amar, pois só quem ama sente saudades, deseja chegar mais cedo à sua casa e vive alegremente. Quem não ama, não vive! É o amor a causa de todo entusiasmo, de todo sorriso, de toda esperança! Senhor, me ensina a amar desse jeito! Sei que preciso aprender, porque o que conheço do amor é tão pouco. Amar, para mim, é uma necessidade, para ser manso, humilde e simples de coração. Assim como os pássaros necessitam do céu para voar, eu necessito do amor para viver. Quem vai compreender tamanha vocação? Quem vai entender imenso desejo? Só mesmo me abandonando em ti, Senhor, e sendo indiferente a todo o resto, poderei encontrar-me com o verdadeiro e puro amor. Vem comigo. Ei! Vem você comigo e vamos juntos encontrar o amor que faz novas todas as coisas! Vem?

# CONCLUSÃO

*O amor é uma vocação essencialmente humana.*

Esta é uma obra de meditação. De leitura fácil, quer ser provocativa, por isso é insistente, mas não repetitiva: em cada título há uma novidade. Escrever sobre o amor não é nada fácil. Até porque estamos caminhando em busca do amor que nos faz mais humanos. Somos imperfeitos, erramos, caímos e nos desiludimos. Mas, ao final, o amor sempre vencerá.

Espero que você tenha gostado da leitura; mais ainda, que reflita sobre cada tema tratado, tendo como base as iniciais "Quem ama...". Sei que o assunto não se esgota aqui. Você deve ter muitos outros motivos para amar. Quis apenas escrever para você parar e pensar um pouco sobre o amor; quis dialogar com você.

Deixe este livro na cabeceira de sua cama, dentro da sua bolsa, em cima da mesa de jantar. E todos os dias, assim como pílulas de esperança, beba da fonte inesgotável da vida. E faça de sua vida um rio de amor que não cessa de transbordar alegria e esperança. Se esta leitura lhe fez bem, escreva para mim e conte seu testemunho. Se o ajudou, divulgue para seus conhecidos. Dê um livro de presente.

Vamos juntos promover o amor, superar as divisões e gritar de cima dos telhados: "Deus existe e nos ama profundamente". Sempre diga sim à vida e ao amor. E saiba: se há amor, tudo pode ser superado. Fique com as bênçãos de Deus.

# ÍNDICE

Apresentação ............................................................. 5
Introdução ................................................................. 7

Quem ama, confia ................................................... 10
Quem ama, respeita ................................................ 12
Quem ama, é fiel ..................................................... 14
Quem ama, doa-se .................................................. 16
Quem ama, entrega-se ............................................ 18
Quem ama, lidera .................................................... 20
Quem ama, educa ................................................... 22
Quem ama, abandona-se ........................................ 24
Quem ama, perdoa .................................................. 26
Quem ama, renuncia ............................................... 28
Quem ama, agradece ............................................... 30
Quem ama, reconhece ............................................. 32
Quem ama, abraça ................................................... 34
Quem ama, beija ...................................................... 36
Quem ama, declara-se ............................................. 38
Quem ama, obedece ................................................ 40
Quem ama, caminha ............................................... 42
Quem ama, chora .................................................... 44
Quem ama, sofre ..................................................... 46
Quem ama, espera ................................................... 48
Quem ama, reza ...................................................... 50
Quem ama, é humilde ............................................. 52
Quem ama, trabalha ................................................ 54
Quem ama, cultiva o amor ..................................... 56
Quem ama, tem coragem ........................................ 58
Quem ama, é forte ................................................... 60
Quem ama, deseja ................................................... 62
Quem ama, é paciente ............................................. 64

Quem ama, dá valor ..................................................... 66
Quem ama, é justo ....................................................... 68
Quem ama, é bondoso ................................................. 70
Quem ama, é afável ..................................................... 72
Quem ama, é verdadeiro .............................................. 74
Quem ama, é alegre ..................................................... 76
Quem ama, é feliz ........................................................ 78
Quem ama, enriquece .................................................. 80
Quem ama, canta ......................................................... 82
Quem ama, faz poemas ............................................... 84
Quem ama, sacrifica-se ................................................ 86
Quem ama, serve .......................................................... 88
Quem ama, cuida ......................................................... 90
Quem ama, tem segurança .......................................... 92
Quem ama, protege ..................................................... 94
Quem ama, contempla ................................................. 96
Quem ama, tem fé ....................................................... 99
Quem ama, surpreende ............................................. 100
Quem ama, dá presentes ........................................... 102
Quem ama, tem paz .................................................. 104
Quem ama, silencia .................................................... 106
Quem ama, conquista ................................................ 108
Quem ama, é puro ..................................................... 110
Quem ama, tem atitude ............................................. 112
Quem ama, é motivado ............................................. 114
Quem ama, crê ........................................................... 116
Quem ama, tem Deus ................................................ 118
Quem ama, ouve ........................................................ 120
Quem ama, dialoga .................................................... 122
Quem ama, sonha ...................................................... 124
Quem ama, "muda" ................................................... 126
Quem ama, diz "sim" ................................................ 128
Eu quero amar! .......................................................... 130

Conclusão ................................................................... 132